Mi mamá tiene superpoderes

Escrito por Mariangeli Rivera
Ilustrado por Viviana González

Mi mamá tiene superpoderes

Texto: Mariangeli Rivera
Ilustraciones: Viviana González

Primera Edición: 2020

ISBN- 13: 9798664018677

A Amelia y a Guillermo por regalarme mis superpoderes.
A mi familia, el Dr. Mario Ramírez y la Liga de la Leche
por su apoyo durante mi proceso de lactancia y
hacerme sentir como toda una heroína
       -M.R.

En la clase de la maestra Vivi leyeron un cuento de superhéroes que salvan la ciudad con sus diferentes superpoderes. Al finalizar la lectura, Maestra Vivi dijo: "Quiero que todos piensen en un superpoder que les gustaría tener".

Al día siguiente, durante la asamblea, Maestra Vivi preguntó: "¿Quién quiere compartir con nosotros el superpoder que le gustaría poseer?"

Milton levantó la mano inmediatamente y la maestra le dio permiso de participar. "A mi me gustaría volar. Así puedo tocar las nubes y desde muy alto ver quien necesita mi ayuda" dijo Milton levantando las manos como si estuviera volando muy alto por la ciudad.

Clara se animó y permiso para hablar pidió: "Yo
quisiera, bajo el agua respirar para poder salvar
a todos los animales acuáticos, que por la
contaminación lastimados están".

Ahora el turno le correspondía a Josué y sin dudar contestó: "¡Ser súper rápido, sería el mejor poder del mundo! Podría llegar a todos los lugares en cuestión de segundos".

Gerardo exclamó: "¡Pues maestra, yo sueño con ser muy fuerte para poder levantar objetos pesados y salvar a la gente!".

Mónica imaginó lo largo que su brazo podría tener. "Yo quisiera ser elástica, para con mis manos acercar a las familias que alejadas se encuentran".

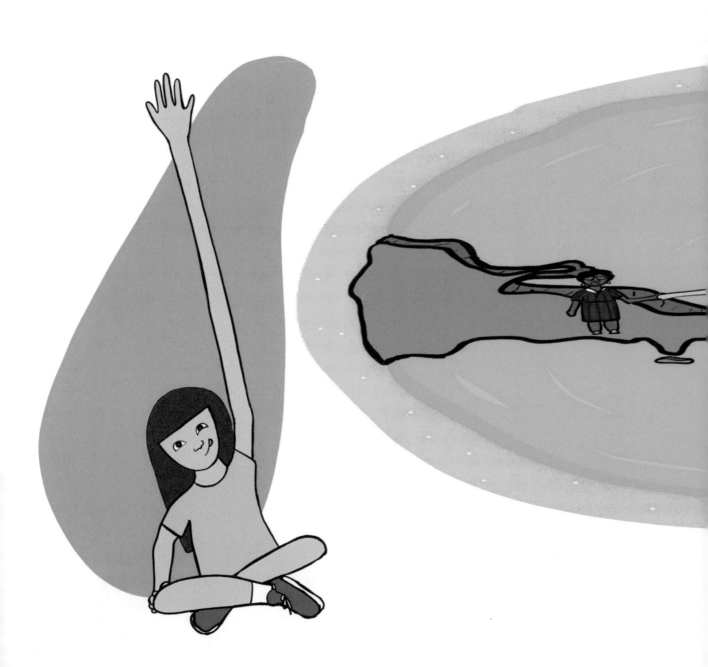

"Me han encantado todos esos poderes, pero todavía falta una amiga que no nos ha contado lo que se le ocurre… ¿Amelia te animas?" dijo la maestra.

Amelia con una sonrisa asintió y tímidamente contestó: "Yo espero tener el superpoder que tiene mi mamá…"

"¿Y qué superpoder es ese? Preguntaron todos extrañados.

"Mi mamá hace leche para mi hermano Guillermo"

Amelia continuó "Porque hacer leche humana es el mejor regalo que le puedes dar a un bebé, tiene todos los nutrientes que su cuerpo necesita para que crezca fuerte, saludable e inteligente.

La lactancia hace que el bebé se sienta cerquita de su mamá, escuchando los latidos de su corazón, como cuando estaba dentro de su pancita. Así se siente seguro y protegido"

"**Además la leche tiene como unas supermedicinas, que se llaman anticuerpos, y lo protege contra las enfermedades.**"

"Mi mami me dijo que amamantar es una demostración muy grande de amor".

En ese momento todos los compañeros de Amelia estaban asombrados y querían saber más. La maestra acabó diciendo…

"Amelia lo más hermoso, es que algún día podrás tener ese superpoder. Tu mamá y todas las mamás que amamantan son unas heroínas".

Mensaje para todas las madres lactantes:

Celebramos juntas la labor que realizamos. Esta montaña rusa de emociones, provocada por las hormonas, que nos regala la lactancia. Celebramos las largas noches y días que pasamos pegadas al bebé. Celebro que tomaste la decisión de amamantar y renunciar a ti para que tu cuerpo casi le pertenezca a otro ser humano. Celebramos a las que la lactancia les ha ido de maravilla, han bajado de peso, tienen el pelo fabuloso, no tienen la necesidad de contar las onzas que producen y que sus bebés no son de alta demanda. Celebramos a aquellas que su proceso ha sido doloroso, complicado y en ocasiones solitario. Celebramos a las que dieron leche por un mes y a las que lograron llegar a los cinco años. Celebramos a las que han tenido que contar onzas, no han producido suficiente leche y a las que han tenido que suplementar. Celebramos a las que han tenido miedo de no hacerlo bien y a las que desde el primer día sintieron que llevaban una vida dando leche. Celebramos a aquellas madres trabajadoras y las incontables horas conectadas a la máquina de extraer leche. Celebramos las lágrimas de frustración, dolor, cansancio o porque se nos derrama la leche. Celebramos cada onza ganada de peso de nuestro bebé en las visitas al pediatra. Celebramos a las que tienen el congelador lleno de bolsitas de leche, a las que nunca hicieron banco de leche, a las que han tenido la oportunidad de donar y a las que han usado leche donada con sus hijos. Celebramos los grupos de apoyo que nos permiten ventilar y sentirnos normales con todo lo que estamos pasando. Celebramos a las madres de gemelos y a las que hacen tándem, son unas campeonas. Celebramos lo bello y lo no tan bello de ser madres lactantes. Celebramos este superpoder que hemos obtenido, que nos hace únicas y que llena nuestras vidas de alegría. Aunque nuestras circunstancias sean diferentes a todas nos une el deseo de brindarles lo mejor a nuestros pequeños. En algún momento este proceso terminará, pero ese vínculo formado entre mamá y bebé siempre permanecerá. La complicidad y amor incondicional prevalecerán toda la vida.

Actividad #1: ¡Tu también tienes superpoderes!

Piensa que superpoder quisieras tener. Dibújate con ese poder y escribe porque te gustaría poseerlo.

_____

_____

Actividad #2: Busca las cinco diferencias en las ilustraciones de Clara.

Actividad #3: Ayuda a nuestra amiga Mónica con su superpoder. Traza el camino que debe seguir su mano para llegar hasta su abuela

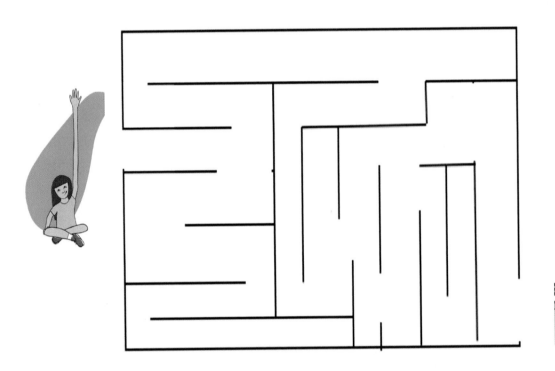

Actividad #4: Busca las palabras relacionadas a la lactancia en la sopa de letras. ¡Intenta ser tan veloz como Josué!

C	S	N	A	T	U	R	A	L	
E	F	A	N	P	O	D	E	R	
R	E	S	T	X	I	L	O	S	
C	L	T	I	L	E	C	H	E	
A	I	U	C	I	B	O	F	M	
N	Z	B	U	O	E	M	U	A	
I	G	N	E	N	B	G	E	M	
A	M	O	R	B	A	E	R	A	
O	A	F	P	B	E	D	T	H	
D	U	L	O	R	U	G	E	S	
T	I	C	S	S	A	L	U	D	

leche
amor
mamá
salud
anticuerpos
feliz

fuerte
poder
cercanía
bebé
seguro
natural